中国工程建设协会标准

烟雾灭火系统技术规程

Technical specification for smoke fire extinguishing systems

CECS 169：2015

主编单位：公安部天津消防研究所
批准单位：中国工程建设标准化协会
施行日期：2015年11月1日

中国计划出版社

2015 北 京

中国工程建设协会标准

烟雾灭火系统技术规程

CECS 169：2015

☆

中国计划出版社出版

网址:www.jhpress.com

地址:北京市西城区木樨地北里甲11号国宏大厦C座3层

邮政编码:100038　电话:(010)63906433(发行部)

新华书店北京发行所发行

廊坊市海涛印刷有限公司印刷

850mm×1168mm　1/32　2.25印张　55千字

2015年10月第1版　2015年10月第1次印刷

印数1—3080册

☆

统一书号:1580242·776

定价:27.00元

中国工程建设标准化协会公告

第205号

关于发布《烟雾灭火系统技术规程》的公告

根据中国工程建设标准化协会《关于印发〈2014年第一批工程建设协会标准制订、修订计划〉的通知》(建标协字〔2014〕028号)的要求，由公安部天津消防研究所等单位全面修订的《烟雾灭火系统技术规程》，经本协会消防系统专业委员会组织审查，现批准发布，编号为CECS 169：2015，自2015年11月1日起施行。原《烟雾灭火系统技术规程》CECS 169：2004同时废止。

中国工程建设标准化协会

二〇一五年六月二十三日

前　言

根据中国工程建设标准化协会《关于印发〈2014年第一批工程建设协会标准制订、修订计划〉的通知》（建标协字〔2014〕028号）的要求，由公安部天津消防研究所会同有关单位在《烟雾灭火系统技术规程》CECS 169：2004的基础上共同修订而成。

本规程共分7章和2个附录。主要技术内容包括：总则、术语和符号、系统设计、系统组件、系统施工、验收和维护管理等。

本规程修订的主要技术内容：补充了烟雾灭火系统进场检验的要求；修改了烟雾产生器、引燃装置、喷射装置的工程设计要求；修改了烟雾灭火剂设计用量的计算参数；删除了上一版附录A的相关内容。

本规程由中国工程建设标准化协会消防系统专业委员会（CECS/TC21）归口管理，由公安部天津消防研究所负责具体技术内容的解释。在使用中如发现需要修改和补充之处，请将意见和资料寄送解释单位（地址：天津市南开区卫津南路110号，邮政编码：300381）。

主 编 单 位： 公安部天津消防研究所

参 编 单 位： 陕西省公安消防总队
中国石化工程建设有限公司
中国石油天然气管道公司
中国石油天然气管道工程有限公司
西安长庆科技工程有限责任公司
湖南金鼎消防器材有限公司
陕西联众智能设备有限责任公司
江西荣和特种消防设备制造有限公司

主要起草人： 张清林　陈　民　王　璐　秘义行　高云升

罗新鹏　吴文革　魏海臣　李德权　王国柱
黄淑纯　郭立军　涂建新　龙　荣

主要审查人：陈雪文　谭世立　李景芳　潘新建　高斌海
岳大可　徐康辉

目　次

Contents

1 总　　则

1.0.1　为了合理地设计、安装和维护烟雾灭火系统，保证工程质量和发挥使用功能，保障人身和财产安全，减少火灾损失，制定本规程。

1.0.2　本规程适用于新建、改建和扩建的甲、乙、丙类液体固定顶和内浮顶储罐工程中设置的烟雾灭火系统的设计、施工、验收和维护管理。

1.0.3　烟雾灭火系统的设计、施工、验收和维护管理，除应符合本规程外，尚应符合国家现行有关标准的规定。

2 术语和符号

2.1 术　　语

2.1.1 烟雾灭火系统　smoke fire extinguishing system

在发生火灾时，能自动向储罐内喷射灭火烟雾的系统。由烟雾产生器、引燃装置、喷射装置等系统组件组成。

2.1.2 罐外式烟雾灭火系统　outside-tank smoke fire extinguishing system

烟雾产生器安装在储罐外的烟雾灭火系统。简称罐外式系统。

2.1.3 罐内式烟雾灭火系统　inside-tank smoke fire extinguishing system

全部系统组件安装在储罐内，并漂浮在液面中部的烟雾灭火系统。简称罐内式系统。

2.1.4 独立系统　single system

由一套烟雾产生器、引燃装置、喷射装置等组件组成的烟雾灭火系统。

2.1.5 组合系统　assembled system

由两套或两套以上烟雾产生器、引燃装置、喷射装置等组件组成的烟雾灭火系统。

2.1.6 烟雾产生器　smoke generator

充装烟雾灭火剂并能使之按要求的速率燃烧而产生灭火烟雾的装置。

2.1.7 烟雾灭火剂　smoke agent for fire extinguishing

一种无需空气而能燃烧并产生灭火烟雾的固体混合物。

2.1.8 喷烟时间　smoke discharge time

系统喷射装置连续有效喷射灭火烟雾的时间。

2.1.9 喷烟射程 smoke discharge range

系统喷射装置喷射灭火烟雾的有效半径。

2.1.10 传火时间 fuse transferring time

从感温元件内的导火索被点燃到引燃烟雾产生器内的烟雾灭火剂的时间。

2.2 符号

m——烟雾灭火剂设计用量；

A——储罐横截面积；

r——储罐单位面积上烟雾灭火剂用量；

k——储罐安全补偿系数；

ZWW——罐外式烟雾灭火系统；

ZW——罐内式烟雾灭火系统。

3 系统设计

3.1 一般规定

3.1.1 贮存甲、乙、丙类液体的固定顶储罐，可选用罐外式系统或罐内式系统；当贮存液体的温度过高或液面升降波动过大时，不宜选用罐内式系统；贮存甲、乙类液体的内浮顶储罐应选用罐外式系统。

3.1.2 系统的喷烟射程应大于所保护储罐的半径，喷烟时间应符合国家现行相关标准的规定。

3.1.3 储罐所需的烟雾灭火剂设计用量应按下式计算：

$$m = A \times r(1+k) \tag{3.1.3}$$

式中：m——烟雾灭火剂设计用量(kg)；

A——储罐横截面积(m^2)；

r——储罐单位面积烟雾灭火剂用量(kg/m^2)，其取值不应小于表3.1.3-1的规定；

k——储罐安全补偿系数，其取值应符合表3.1.3-2的规定。

表3.1.3-1 储罐单位面积所需烟雾灭火剂用量(kg/m^2)

系统形式	甲、乙类液体	丙类液体
罐外式系统	1.00	0.70
罐内式系统	0.80	0.46

表3.1.3-2 储罐安全补偿系数

储罐直径 D(m)	安全补偿系数
$D \leqslant 10$	0
$10 < D \leqslant 15$	0.10
$D > 15$	0.20

注：贮存190℃以下馏分小于10%的原油储罐，安全补偿系数可取0。

3.1.4 烟雾产生器的型号可按照厂家的安装使用说明书确定，其烟雾灭火剂的充装量不应小于额定充装量，且不得大于额定充装量的1.05倍。

3.1.5 系统的传火时间不应大于10s。

3.2 罐外式系统设计

3.2.1 系统设计时，宜采用独立系统。当独立系统不能满足设计要求时，可采用组合系统，但烟雾产生器的数量不应多于3台，且应符合下列规定：

1 各烟雾产生器均应具有配套的引燃装置，且各引燃装置中的导火索应相互连接；

2 烟雾产生器的启动时间差不应大于10s；

3 宜选择相同型号规格的系统。

3.2.2 烟雾产生器平台的设置应符合下列规定：

1 与储罐扶梯和人孔之间的距离不应小于1.5m，且应避开罐壁焊缝；

2 平台表面应垂直于储罐轴线，且宜高出储罐基础顶面0.4m；

3 平台应能承受系统喷烟时产生的冲击荷载。

3.2.3 导烟管的设置应符合下列规定：

1 导烟管的公称直径应与烟雾产生器和喷头相匹配，中间不得改变公称直径；

2 导烟管与烟雾产生器之间、横向导烟管与竖向导烟管之间应采用法兰连接，且法兰连接处应设置密封膜；

3 横向导烟管的轴线与所保护储罐罐壁顶的距离，不应小于0.3m；

4 在横向导烟管上应设置支撑；竖向导烟管固定支架的间距不应大于3.0m。

3.2.4 喷射装置的设置应符合下列规定：

1 喷射装置的设置方向应铅垂向上；

2 独立系统的喷射装置应设置在储罐中央；

3 组合系统的喷射装置应均匀设置在储罐中部，上下的间距宜为0.05m。

3.2.5 导火索保护管的设置应符合下列规定：

1 导火索保护管管段间宜采用活接头连接；

2 在导火索保护管进入储罐罐壁处应设置通径0.1m的套管，且套管轴线距罐壁上沿不应小于0.2m；

3 导火索保护管立管固定支架的间距不应大于3.0m。

3.3 罐内式系统设计

3.3.1 烟雾产生器应设置在储罐中部的漂浮装置上。漂浮装置三翼定位支腿的长度应相等，且漂浮装置脚轮与罐壁的距离宜为0.3m。

3.3.2 设置罐内式系统的储罐，其内壁不应有障碍物，且最高液面距罐顶的高度应大于1.5m。对于底部有加热盘管的储罐，应在加热盘管的上方设置平台和托环，且平台和托环的直径宜分别为2.2m和4.2m。

3.3.3 设置罐内式系统的储罐，其人孔直径不宜小于表3.3.3的规定。

表3.3.3 储罐人孔直径（m）

系统型号	人孔直径
ZW12	0.60
ZW16	0.72

4 系 统 组 件

4.1 一 般 规 定

4.1.1 系统所采用的产品及组件应符合国家现行相关标准的规定。依法实行强制认证的产品及组件应具有符合市场准入制度要求的有效证明文件。

4.1.2 系统组件的外表面应进行防腐处理;设置在储罐外的系统组件应涂刷红色油漆。

4.1.3 系统各组件应与所选系统的类型、型号、规格一致。

4.2 烟雾产生器

4.2.1 烟雾产生器的壳体应符合下列规定:

1 材质宜选用低碳素钢板或压力容器用低合金钢板;

2 罐内式系统壳体的设计压力不应小于 1.0MPa,罐外式系统壳体的设计压力不应小于 1.6MPa;

3 内壁应涂刷防锈油漆。

4.2.2 烟雾灭火剂的燃烧速度应控制在 1.1mm/s~1.5mm/s 范围内。

4.3 引 燃 装 置

4.3.1 引燃装置感温元件的公称动作温度应高出储罐最高贮存温度 30℃,且不宜低于 110℃,误差应控制在±5℃范围内。

4.3.2 导火索的燃烧速度应大于 1.0m/s。

4.3.3 缠绕在筛孔导流筒上的导火索药芯燃烧速度宜为0.025m/s~0.04m/s,导火索的螺旋缠绕间距宜为 55mm~60mm。

4.3.4 导火索的保护管应选用热镀锌钢管。

4.4 喷 射 装 置

4.4.1 喷射装置宜由冷轧钢板制成，喷孔圈应采用无缝钢管，设计压力不应小于1.0MPa。

4.4.2 导烟管应采用无缝钢管，钢管壁厚不应小于4mm。导烟管及其连接法兰的公称压力不应小于1.6MPa。

4.5 漂 浮 装 置

4.5.1 罐内式系统的漂浮装置应由浮漂、三翼定位支腿和脚轮组成，并应符合下列规定：

1 浮漂宜由冷轧钢板制成。浮漂顶面与储罐液面的距离宜为0.2m；

2 三翼定位支腿的浮筒应由金属材料制成，浮筒间应采用带铜套的铰链连接，其强度和刚度应满足系统运行要求；

3 脚轮宜由铜或铝制成。

4.5.2 浮漂、浮筒制作完成后应进行气密性试验，试验压力不应低于0.1MPa。

4.6 附 件

4.6.1 罐外式系统的保护箱、平台、高度调节装置、固定支架、支撑等附件，其强度应满足系统运行的要求，且应进行防腐处理。

4.6.2 密封膜宜选用耐油、耐水的聚酯薄膜；密封剂宜选用室温下可固化的粘接剂。

5 系统施工

5.1 一般规定

5.1.1 系统分部工程、子分部工程、分项工程应按本规程附录A划分。

5.1.2 系统的施工应由具有相应资质等级的施工单位承担。

5.1.3 施工现场应具有相应的施工技术标准，健全的质量管理体系和施工质量检验制度，并应进行施工全过程质量控制。施工现场质量管理应按本规程附录B中表B.0.1的要求进行检查记录。

5.1.4 系统施工应按经审核批准的设计施工图、技术文件和相关技术标准的规定进行。

5.1.5 系统施工前应具备下列技术资料：

1 经审核批准的设计施工图、设计说明书；

2 主要组件的安装使用说明书；

3 系统各组件应具备符合市场准入制度要求的有效证明文件和产品出厂合格证。

5.1.6 系统施工前应具备下列条件：

1 设计单位应向施工单位进行设计交底，并有记录；

2 系统组件、管材及管件的规格、型号应符合设计要求；

3 场地、道路、水、电等临时设施应满足施工要求。

5.2 进场检验

5.2.1 烟雾产生器、引燃装置、喷射装置、漂浮装置等系统组件应符合下列规定，并应按本规程附录B中表B.0.2填写检查记录。

1 无变形及其他机械性损伤；

2 外露非机械加工表面保护涂层完好；

3 无保护涂层的机械加工面无锈蚀；

4 所有外露接口无损伤，堵、盖等保护物包封良好；

5 铭牌标记清晰、牢固；

6 其规格、型号、性能参数符合国家现行产品标准和设计要求。

检查数量：全数检查。

检查方法：观察检查，并核查组件的规格、型号、性能参数等是否与相关准入制度要求的有效证明文件、产品出厂合格证及设计要求相符。

5.2.2 烟雾灭火剂的贮存容器外观应完好。

检查数量：全数检查。

检查方法：观察检查。

5.2.3 导火索应无破损、折断等影响性能的缺陷。

检查数量：全数检查。

检查方法：观察检查。

5.2.4 喷头喷孔处的密封膜应无破损。

检查数量：全数检查。

检查方法：观察检查。

5.2.5 烟雾灭火剂重量应准确。

检查数量：全数检查。

检查方法：称重测量。

5.3 系统安装

5.3.1 系统的施工应按本规程附录B中表B.0.3记录。

5.3.2 系统施工过程质量控制应符合下列规定：

1 采用的系统组件和材料应按本规程的规定进行进场检验，合格后经监理工程师签证方可使用或安装；

2 各工序应按施工技术标准进行质量控制，每道工序完成后，应进行检查，合格后方可进行下道工序施工；

3 相关各专业工种之间，应进行交接认可，并经监理工程师签证后，方可进行下道工序施工；

4 应由监理工程师组织施工单位有关人员对施工过程进行检查；

5 隐蔽工程在隐蔽前，施工单位应通知有关单位进行验收并按照本规程附录B中表B.0.5填写验收记录。

5.3.3 系统安装时应满足对易燃易爆场所有关施工作业的安全要求。

5.3.4 系统安装时应采取防潮、防损伤的措施。

5.3.5 烟雾产生器的组装应符合安装使用说明书的规定。

5.3.6 平台、导烟管、导火索保护管的固定支架和导烟管支撑杆应焊接在储罐上，其位置应符合设计要求。

检查数量：全数检查。

检查方法：观察检查。

5.3.7 平台的平面应垂直于储罐轴线，其允许误差不宜大于0.5°。

检查数量：全数检查。

检查方法：观察检查和水平仪测量。

5.3.8 安装平台和托环时，应保护储罐底部的加热盘管。

检查数量：全数检查。

检查方法：观察检查。

5.3.9 法兰的连接应符合下列规定：

1 法兰连接面的平行偏差不应大于法兰外径的0.15%；

2 法兰连接应与管道同心，螺栓应能自由穿入；

3 法兰密封面宜采用石棉橡胶密封，其上应涂黄油等涂剂。

检查数量：全数检查。

检查方法：观察检查和塞尺检查。

5.3.10 导烟管的垂直度或水平度偏差不宜大于0.2%。

检查数量：全数检查。

检查方法:钢尺测量。

5.3.11 罐外式系统的烟雾产生器安装应符合下列规定:

1 高度调节装置应放入平台中心孔内,并应将升降螺杆旋至最低位置;

2 应将烟雾产生器放置在高度调节装置托板上,并应在调正位置后定位,在同一平面内,导火索头盖接头与烟雾产生器中心的连线应垂直于被保护储罐中心与烟雾产生器中心的连线;

3 在连接烟雾产生器与竖向导烟管法兰时,应拧紧高度调节装置的升降螺杆,并应安装烟雾产生器的保护箱。

检查数量:全数检查。

检查方法:观察检查。

5.3.12 引燃装置Y型保护管上的两个感温元件应处于同一水平面上。

检查数量:全数检查。

检查方法:观察检查。

5.3.13 Y型导火索保护管的安装应符合下列规定:

1 穿入引火头座中的导火索,应在引火头处探出0.2m剥尽外皮的导火索药芯,并将其固定;

2 紧固螺母时,应防止感温元件转动。

5.3.14 导火索保护管各连接处应做密封处理。

检查数量:全数检查。

检查方法:观察检查。

5.3.15 罐内式系统的浮漂呼吸阀应向上安装,同时应检查其可靠性。

检查数量:全数检查。

检查方法:观察检查和手动检查。

5.3.16 罐内式系统的三翼定位支腿应上下转动灵活。

检查数量:全数检查。

检查方法:观察检查。

5.3.17 罐内式系统安装完毕后应进行漂浮试验。

检查数量:全数检查。

检查方法:试验时注入 2m 深的水,罐内式烟雾灭火系统能够漂浮在水面上且能平稳升降为合格。

5.3.18 喷头喷孔处密封膜的保护层应在组装完成后拆除,且不得损坏密封膜。

检查数量:全数检查。

检查方法:观察检查。

6 验　　收

6.0.1 烟雾灭火系统的验收应由建设单位组织监理、设计、施工等单位共同进行。隐蔽工程在隐蔽前应由施工单位通知建设单位和监理单位进行验收。

6.0.2 系统验收时，应提供下列资料，并应按本规程附录B中表B.0.4填写质量控制资料核查记录：

1 经审核批准的设计施工图、设计说明书、设计变更通知书；

2 主要系统组件和材料的符合市场准入制度要求的有效证明文件和产品出厂合格证，材料和系统组件进场检验的复验报告；

3 系统及其主要组件的安装使用说明书；

4 施工单位的有效资质文件和施工现场质量管理检查记录；

5 系统施工过程检查记录及隐蔽工程验收记录；

6 系统验收申请报告。

6.0.3 烟雾灭火系统的验收应符合下列规定：

1 隐蔽工程在隐蔽前的验收应合格，并按本规程附录B中表B.0.5记录；

2 质量控制资料核查应全部合格，并按本规程附录B中表B.0.4记录；

3 验收完成后，应按本规程附录B中表B.0.6-1、表B.0.6-2的规定填写验收记录。

6.0.4 验收时应复核安装系统是否与系统设计图纸一致。

检查数量：全数检查。

检查方法：对照图纸检查。

6.0.5 罐外式系统的验收应符合下列规定：

1 喷头数量、型号、规格、安装位置、固定方法和安装质量应符合本规程的规定；

检查数量：全数检查。

检查方法：观察检查。

2 导烟管、导火索保护管的材质、密封性、布置、连接方式，支架、法兰的安装位置、型号、规格、强度、间距，防腐处理，油漆颜色，其他防护措施和安装质量等应符合本规程的规定；

检查数量：全数检查。

检查方法：尺量和观察检查。

3 烟雾产生器、引燃装置的装配情况；

检查数量：全数检查。

检查方法：观察检查。

4 烟雾产生器的保护箱、平台的固定位置、防腐保护和安装质量等应符合本规程的规定。

检查数量：全数检查。

检查方法：观察检查。

6.0.6 罐内式系统的验收应符合下列规定：

1 烟雾产生器、三翼定位支腿、浮漂、感温元件等的型号和规格应符合设计要求；

检查数量：全数检查。

检查方法：观察检查。

2 烟雾产生器、漂浮装置的固定、装配应符合本规程的规定；

检查数量：全数检查。

检查方法：观察检查。

3 涂漆和标志应符合本规程的有关规定。

检查数量：全数检查。

检查方法：观察检查。

6.0.7 烟雾灭火系统可不进行冷喷试验。

6.0.8 烟雾灭火系统验收合格后，施工单位应向建设单位提供下列文件资料：

1 系统竣工图；

2 烟雾灭火系统施工过程检查记录；

3 隐蔽工程验收记录；

4 烟雾灭火系统质量控制资料核查记录；

5 烟雾灭火系统验收记录；

6 相关文件、记录、资料清单等。

7 维护管理

7.0.1 烟雾灭火系统投入使用后，应制定相应的检查、维护制度，并应使系统处于准工作状态。

7.0.2 烟雾灭火系统应由经过专业技术培训、取得相应资质的人员负责维护管理。

7.0.3 烟雾灭火系统投入运行时，应具备下列技术资料：

1 本规程第6.0.8条规定的技术文件资料；

2 对专（兼）职维护管理人员的培训记录。

7.0.4 系统运行中，应防止液体淹没横向导烟管和感温元件。

7.0.5 罐外式系统的检查维护应包括下列内容：

1 喷头无异物堵塞，感温元件和支撑杆外观完好无损，位置正确；

2 导火索保护管、导烟管和烟雾产生器、保护箱等组件的外观无变色、脱漆、变形等异样状态发生；

3 液面是否淹没横向导烟管和感温元件。

7.0.6 罐内式系统的检查维护应包括下列内容：

1 系统的喷孔无异物堵塞，感温启动组件外观完好无损，位置正确；

2 烟雾产生器、漂浮装置漂浮正常。

7.0.7 当储存需要加热保温液体的储罐采用罐内式烟雾灭火系统时，液体的输入、输出作业，应在加热状态下进行。

7.0.8 对烟雾灭火系统应定期进行检查和维护，并做好记录。当发现问题时应及时处理。

7.0.9 烟雾灭火剂、导火索、引燃装置的感温元件、密封膜达到有效使用期限后应及时更换，并应符合下列规定：

1 对系统组件进行全面检查和必要的维修；

2 符合本规程第5章的有关规定；

3 更换下的烟雾灭火剂、导火索予以妥善处理。

附录A　烟雾灭火系统工程划分

表A　系统分部工程、子分部工程、分项工程划分

<table>
<tr><th>分部工程</th><th>序号</th><th>子分部工程</th><th>分 项 工 程</th></tr>
<tr><td rowspan="13">烟雾灭火系统</td><td rowspan="2">1</td><td rowspan="2">进场检验</td><td>材料进场检验</td></tr>
<tr><td>系统组件进场检验</td></tr>
<tr><td rowspan="9">2</td><td rowspan="9">系统施工</td><td>平台、托环的安装</td></tr>
<tr><td>固定支架、支撑杆的安装</td></tr>
<tr><td>法兰的连接</td></tr>
<tr><td>导烟管的安装</td></tr>
<tr><td>烟雾产生器的安装</td></tr>
<tr><td>引燃装置感温元件的安装</td></tr>
<tr><td>引燃装置Y型导火索保护管的安装</td></tr>
<tr><td>浮漂呼吸阀的安装</td></tr>
<tr><td>三翼定位支腿的安装</td></tr>
<tr><td rowspan="2">3</td><td rowspan="2">系统验收</td><td>罐外式系统验收</td></tr>
<tr><td>罐内式系统验收</td></tr>
</table>

附录B 烟雾灭火系统施工、验收记录

B.0.1 施工现场质量管理检查记录应由施工单位按表B.0.1填写，监理工程师进行检查，并做出检查结论。

表B.0.1 施工现场质量管理检查记录

<table>
<tr><td colspan="2">工程名称</td><td colspan="3"></td></tr>
<tr><td colspan="2">建设单位</td><td></td><td>项目负责人</td><td></td></tr>
<tr><td colspan="2">设计单位</td><td></td><td>项目负责人</td><td></td></tr>
<tr><td colspan="2">监理单位</td><td></td><td>监理工程师</td><td></td></tr>
<tr><td colspan="2">施工单位</td><td></td><td>项目负责人</td><td></td></tr>
<tr><td colspan="2">施工许可证</td><td></td><td>开工日期</td><td></td></tr>
<tr><td>序号</td><td colspan="2">项 目</td><td colspan="2">内 容</td></tr>
<tr><td>1</td><td colspan="2">现场质量管理制度</td><td colspan="2"></td></tr>
<tr><td>2</td><td colspan="2">质量责任制</td><td colspan="2"></td></tr>
<tr><td>3</td><td colspan="2">操作上岗证书</td><td colspan="2"></td></tr>
<tr><td>4</td><td colspan="2">施工图审查情况</td><td colspan="2"></td></tr>
<tr><td>5</td><td colspan="2">施工组织设计、施工方案及审批</td><td colspan="2"></td></tr>
<tr><td>6</td><td colspan="2">施工技术标准</td><td colspan="2"></td></tr>
<tr><td>7</td><td colspan="2">工程质量检验制度</td><td colspan="2"></td></tr>
<tr><td>8</td><td colspan="2">现场材料、系统组件存放与管理</td><td colspan="2"></td></tr>
<tr><td>9</td><td colspan="2">其他</td><td colspan="2"></td></tr>
<tr><td>结论</td><td colspan="4"></td></tr>
<tr><td>参加单位及人员</td><td colspan="2">施工单位项目负责人：
（签章）
年 月 日</td><td colspan="1">监理工程师：
（签章）
年 月 日</td><td>建设单位项目负责人：
（签章）
年 月 日</td></tr>
</table>

B.0.2 烟雾灭火系统施工过程进场检验应由施工单位按表B.0.2填写，监理工程师进行检查，并做出检查结论。

表B.0.2 系统施工过程进场检验记录

<table>
<tr><td>工程名称</td><td colspan="3"></td></tr>
<tr><td>施工单位</td><td></td><td>监理单位</td><td></td></tr>
<tr><td>子分部工程名称</td><td>进场检验</td><td>施工执行规程名称及编号</td><td></td></tr>
<tr><td>分项工程名称</td><td>质量规定
（本规程条款）</td><td>施工单位检查记录</td><td>监理单位
检查记录</td></tr>
<tr><td rowspan="5">系统组件
进场检验</td><td>第5.2.1条</td><td></td><td></td></tr>
<tr><td>第5.2.2条</td><td></td><td></td></tr>
<tr><td>第5.2.3条</td><td></td><td></td></tr>
<tr><td>第5.2.4条</td><td></td><td></td></tr>
<tr><td>第5.2.5条</td><td></td><td></td></tr>
<tr><td>结　论</td><td colspan="3"></td></tr>
<tr><td>参加单位及人员</td><td colspan="2">施工单位项目负责人：
（签章）
年　月　日</td><td>监理工程师：
（签章）
年　月　日</td></tr>
</table>

B.0.3 烟雾灭火系统施工过程中的安装质量检查应由施工单位按表B.0.3填写，监理工程师进行检查，并做出检查结论。

表B.0.3 烟雾灭火系统施工过程中的安装质量检查记录

工程名称			
施工单位		监理单位	
子分部工程名称	系统施工	执行规程名称及编号	
分项工程名称	质量规定（本规程条款）	施工单位检查记录	监理单位检查记录
平台、托环的安装	第5.3.6条		
	第5.3.7条		
	第5.3.8条		
固定支架、支撑杆的安装	第5.3.6条		
法兰的连接	第5.3.9条		
导烟管的安装	第5.3.10条		
烟雾产生器的安装	第5.3.5条		
	第5.3.11条		
引燃装置感温元件的安装	第5.3.12条		
引燃装置导火索保护管的安装	第5.3.13条		
	第5.3.14条		
浮漂呼吸阀的安装	第5.3.15条		
三翼定位支腿的安装	第5.3.16条		
结　　论			
参加单位及人员	施工单位项目负责人： （签章） 年　月　日	监理工程师： （签章） 年　月　日	

B.0.4 烟雾灭火系统质量控制资料核查记录应由施工单位按表B.0.4填写，建设单位项目负责人组织监理工程师、施工单位项目负责人等进行核查，并做出核查结论，由监理单位填写。

表 B.0.4 烟雾灭火系统质量控制资料核查记录

<table>
<tr><td colspan="2">工程名称</td><td colspan="4"></td></tr>
<tr><td colspan="2">建设单位</td><td></td><td>设计单位</td><td colspan="2"></td></tr>
<tr><td colspan="2">监理单位</td><td></td><td>施工单位</td><td colspan="2"></td></tr>
<tr><td>序号</td><td colspan="2">资料名称</td><td>资料数量</td><td>核查结果</td><td>核查人</td></tr>
<tr><td>1</td><td colspan="2">经审核批准的设计施工图、设计说明书、设计变更通知书</td><td></td><td></td><td></td></tr>
<tr><td>2</td><td colspan="2">主要系统组件和材料的符合市场准入制度要求的有效证明文件和产品出厂合格证，材料和系统组件进场检验的复验报告</td><td></td><td></td><td></td></tr>
<tr><td>3</td><td colspan="2">系统及其主要组件的安装使用说明书</td><td></td><td></td><td></td></tr>
<tr><td>4</td><td colspan="2">施工单位的有效资质文件和施工现场质量管理检查记录</td><td></td><td></td><td></td></tr>
<tr><td>5</td><td colspan="2">系统施工过程检查记录及隐蔽工程验收记录</td><td></td><td></td><td></td></tr>
<tr><td>6</td><td colspan="2">系统验收申请报告</td><td></td><td></td><td></td></tr>
<tr><td colspan="2">核查结论</td><td colspan="4"></td></tr>
<tr><td rowspan="2">核查单位</td><td colspan="2">建设单位</td><td colspan="2">施工单位</td><td>监理单位</td></tr>
<tr><td colspan="2">项目负责人：
（签章）
年 月 日</td><td colspan="2">项目负责人：
（签章）
年 月 日</td><td>监理工程师：
（签章）
年 月 日</td></tr>
</table>

B. 0. 5 隐蔽工程验收应由施工单位按表 B. 0. 5 填写，隐蔽前应由施工单位通知建设、监理等单位进行验收，并做出验收结论，由监理工程师填写。

表 B. 0. 5 隐蔽工程验收记录

<table>
<tr><td>工程名称</td><td colspan="3"></td></tr>
<tr><td>建设单位</td><td></td><td>设计单位</td><td></td></tr>
<tr><td>监理单位</td><td></td><td>施工单位</td><td></td></tr>
<tr><td rowspan="2">验收内容</td><td colspan="3">装置编号</td></tr>
<tr><td>1</td><td>2</td><td>3</td></tr>
<tr><td>筛孔导流筒装配，药芯缠绕高度和间距</td><td></td><td></td><td></td></tr>
<tr><td>灭火剂充装量、压实情况、药面高度</td><td></td><td></td><td></td></tr>
<tr><td>导火索及其保护管的装配情况</td><td></td><td></td><td></td></tr>
<tr><td>隐蔽前的检查</td><td colspan="3"></td></tr>
<tr><td>隐蔽方法</td><td colspan="3"></td></tr>
<tr><td>简图或说明</td><td colspan="3"></td></tr>
<tr><td>验收结论</td><td colspan="3"></td></tr>
<tr><td rowspan="2">验收单位</td><td>施工单位</td><td>监理单位</td><td>建设单位</td></tr>
<tr><td>项目负责人：
（签章）

年 月 日</td><td>监理工程师：
（签章）

年 月 日</td><td>项目负责人：
（签章）

年 月 日</td></tr>
</table>

B.0.6 验收完成后，罐外式烟雾灭火系统应按表 B.0.6-1 填写记录，罐内式烟雾灭火系统应按表 B.0.6-2 填写记录。

表 B.0.6-1 罐外式烟雾灭火系统验收记录

<table>
<tr><td>工程名称</td><td colspan="4"></td></tr>
<tr><td>建设单位</td><td colspan="2"></td><td>设计单位</td><td></td></tr>
<tr><td>监理单位</td><td colspan="2"></td><td>施工单位</td><td></td></tr>
<tr><td>子分部
工程名称</td><td colspan="2">系统验收</td><td>执行规程
名称及编号</td><td></td></tr>
<tr><td>分项工程
名称</td><td colspan="2">质量规定
（本规程条款）</td><td>验收内容记录</td><td>验收评定结果</td></tr>
<tr><td rowspan="4">罐外式
系统验收</td><td colspan="2">第 6.0.5 条第 1 款</td><td></td><td></td></tr>
<tr><td colspan="2">第 6.0.5 条第 2 款</td><td></td><td></td></tr>
<tr><td colspan="2">第 6.0.5 条第 3 款</td><td></td><td></td></tr>
<tr><td colspan="2">第 6.0.5 条第 4 款</td><td></td><td></td></tr>
<tr><td>验收结论</td><td colspan="4"></td></tr>
<tr><td rowspan="2">验收单位</td><td>建设单位</td><td>施工单位</td><td>监理单位</td><td>设计单位</td></tr>
<tr><td>（公章）
项目负责人：
（签章）
年 月 日</td><td>（公章）
项目负责人：
（签章）
年 月 日</td><td>（公章）
总监理工程师：
（签章）
年 月 日</td><td>（公章）
项目负责人：
（签章）
年 月 日</td></tr>
</table>

表 B.0.6-2　罐内式烟雾灭火系统验收记录

<table>
<tr><td>工程名称</td><td colspan="4"></td></tr>
<tr><td>建设单位</td><td colspan="2"></td><td>设计单位</td><td></td></tr>
<tr><td>监理单位</td><td colspan="2"></td><td>施工单位</td><td></td></tr>
<tr><td>子分部
工程名称</td><td colspan="2">系统验收</td><td>执行规程
名称及编号</td><td></td></tr>
<tr><td>分项工程
名称</td><td colspan="2">质量规定
（本规程条款）</td><td>验收内容记录</td><td>验收评定结果</td></tr>
<tr><td rowspan="3">罐内式
系统验收</td><td colspan="2">第 6.0.6 条第 1 款</td><td></td><td></td></tr>
<tr><td colspan="2">第 6.0.6 条第 2 款</td><td></td><td></td></tr>
<tr><td colspan="2">第 6.0.6 条第 3 款</td><td></td><td></td></tr>
<tr><td>验收结论</td><td colspan="4"></td></tr>
<tr><td rowspan="2">验收单位</td><td>建设单位</td><td>施工单位</td><td>监理单位</td><td>设计单位</td></tr>
<tr><td>（公章）

项目负责人：
（签章）

年　月　日</td><td>（公章）

项目负责人：
（签章）

年　月　日</td><td>（公章）

总监理工程师：
（签章）

年　月　日</td><td>（公章）

项目负责人：
（签章）

年　月　日</td></tr>
</table>

本规程用词说明

1 为便于在执行本规程条文时区别对待，对要求严格程度不同的用词说明如下：

1） 表示很严格，非这样做不可的：

正面词采用“必须”，反面词采用“严禁”；

2） 表示严格，在正常情况下均应这样做的：

正面词采用“应”，反面词采用“不应”或“不得”；

3） 表示允许稍有选择，在条件许可时首先应这样做的：

正面词采用“宜”，反面词采用“不宜”；

4） 表示有选择，在一定条件下可以这样做的，采用“可”。

2 条文中指明应按其他有关标准执行的写法为：“应符合……的规定”或“应按……执行”。

中国工程建设协会标准

烟雾灭火系统技术规程

CECS 169：2015

条文说明

目　　次

1 总　　则

1.0.1 烟雾灭火系统是我国自主研究开发的一项主要用于贮存甲、乙、丙类液体的固定顶和内浮顶储罐的灭火技术，特别适用于缺水、缺电和交通不便地区的储库灭火。

烟雾灭火系统由烟雾产生器、引燃装置、喷射装置等组成。当储罐爆炸起火，罐内温度达到110℃后，引燃装置的易熔合金感温元件熔化脱落，火焰点燃导火索，导火索传火至烟雾产生器内，继而引燃内部填装的烟雾灭火剂，烟雾灭火剂以等加速度进行燃烧反应，瞬间生成大量含有水蒸气、氮气和二氧化碳以及固体颗粒的气溶胶状灭火烟雾，在烟雾产生器内形成一定内压，经喷头高速喷入着火储罐，并在储罐内迅速形成均匀而浓厚的灭火烟雾层，以窒息、隔离和金属离子的化学抑制作用灭火。

烟雾灭火技术系1959年提出，1964年被国家科委批准纳入中间试验计划，1968年由公安部天津消防研究所完成了罐内式烟雾灭火装置的初步设计和烟雾灭火剂的配方及其加工工艺。1973年至1993年20余年间，烟雾灭火系统相继通过了“1000m^3原油、柴油固定顶储罐烟雾灭火系统”、“新型烟雾灭火剂和烟雾灭火系统”、“醇、酯、酮类化工产品储罐烟雾自动灭火应用技术研究”以及“700m^3内浮顶汽油罐烟雾自动灭火技术研究”等多项技术鉴定。

1974年开始定点批量生产罐内式烟雾灭火系统。早期的罐内式烟雾灭火系统是采用在油罐底板中心焊接滑道架定心，由于这种方式很难保证滑道在使用过程中与液面垂直，且安装时需要在储罐顶部开设较大的安装孔，于是，1981年改成了环型浮漂，并由三翼定位支腿定心（图1）。

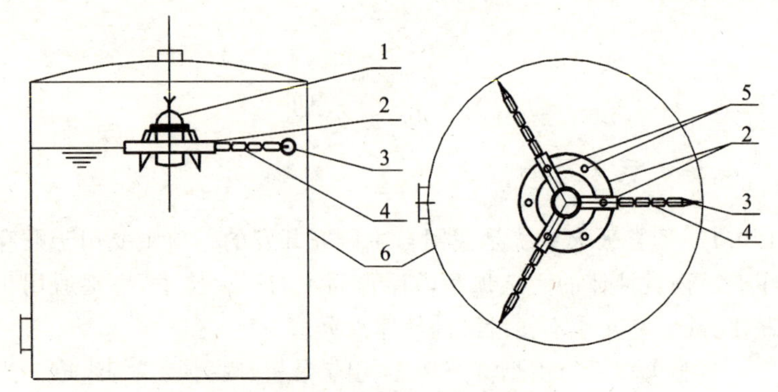

图 1　罐内式烟雾灭火系统示意图

1—烟雾产生器；2—浮漂；3—脚轮；4—三翼定位支腿；5—呼吸阀；6—罐壁

由于浮漂直径增大了许多，罐内式烟雾灭火系统靠浮漂能达到平衡稳定，就不需要安装滑道架了。鉴于罐内式烟雾灭火系统在维护和换药时需清罐，而且不适合安装在油面升降波动大、罐内有障碍物的油罐，因此，20 世纪 80 年代开发了罐外式烟雾灭火系统的系列产品(图 2)。

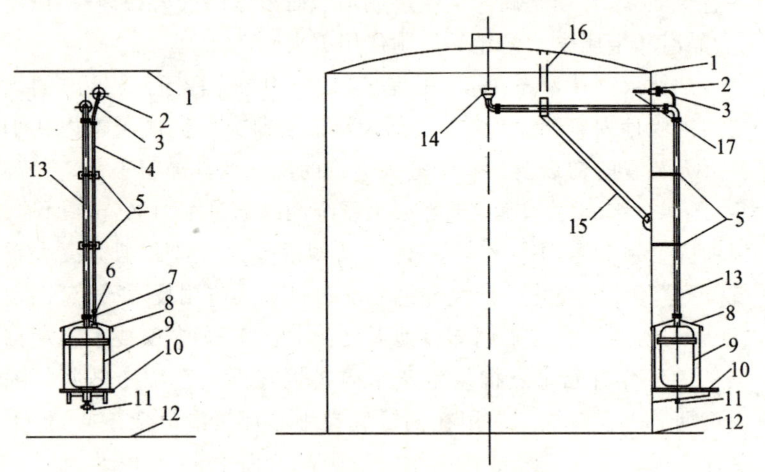

图 2　罐外式烟雾灭火系统示意图

1—储罐上沿；2—法兰短套管；3—弯管；4—导火索保护管；5—固定支架；6—活接头；7—导火索连接盒；8—保护箱；9—烟雾产生器；10—平台；11—高度调节装置；12—储罐底沿；13—导烟管；14—喷头；15—支撑杆；16—拉杆；17—Y 型保护管

罐外式烟雾灭火系统的烟雾产生器固定安装在储罐外，并通过导烟管与罐内的喷头相连接。这种系统对罐内工艺装置无严格要求，对储罐液面波动无要求，现场安装、维护、更换药剂也方便，所以，目前多采用这种系统。罐外式系统早期采用电动启动方式，电源为干电池，探头为电接点温度计，点火部件为电点火管。由于这种启动方式存在误动的可能，并且当储罐内的可燃蒸气浓度在爆炸极限范围时，其误动会引发储罐爆炸火灾，因此，在 1989 年后改为导火索式引燃装置，从而基本杜绝了系统的误动。

自 1968 年烟雾灭火系统首先在天津地区试用至今，随着研究的不断深入，烟雾灭火技术已日臻成熟，烟雾灭火系统也基本形成系列。应用范围也从原油、重油、柴油储罐扩展到航空煤油、汽油和醇、酯、酮类水溶性液体储罐，遍及油田、石化、冶金、铁路、航空、火电、国防等领域的工矿企业。长庆、大庆、辽河、华北、克拉玛依、胜利、江汉等国内各大油田，天津、沈阳、北京、乌鲁木齐以及青藏铁路的各机务段油库，浙江、湖南、江西、广西、山东等省区的石油销售公司油库，天津钢丝厂、天津搪瓷厂、广州佛山陶瓷厂、江苏玻璃集团、沈阳石蜡化工厂等工矿企业的小型储罐，以及火力发电厂的点火油罐和一些军用油料库等，由于设置泡沫系统有困难或经济上不合算，都设置了烟雾灭火系统。

此外，国外许多新建储库工程中也应用本灭火系统。据统计，自 2007 年以来烟雾灭火系统每年都有出口，现已在哈萨克斯坦、吉尔吉斯斯坦、伊朗、南苏丹、蒙古国、缅甸、阿富汗等多个国家有所应用。

烟雾灭火系统感应灵敏，不用水、电，灭火迅速，且与泡沫灭火系统比较，可节省消防投资 60%以上。同时，烟雾灭火系统自动启动灭火，不需配备专门的消防队伍，可节省大量日常维护管理费用，具有很大的经济效益和社会效益，据不完全统计，至 1997 年已有用户 1200 多家，应用该灭火系统共 3100 多套。2000 年，仅长庆油田就安装该灭火系统 60 多套。

40多年来，烟雾灭火系统在使用过程中，已知的成功扑灭液体储罐火灾案例有五起：1977年10月26日广东佛山市建国陶瓷厂$1000m^3$原油储罐火灾，1981年11月10日天津市搪瓷厂直径为10m的原油储罐火灾，1991年9月10日天津市钢丝厂直径为6.5m原油储罐火灾，1992年8月28日江西万安糖厂直径为7.8m乙醇储罐火灾和2010年4月30日长庆油田采油二厂$700m^3$原油储罐火灾。

国家现行标准《石油库设计规范》GB 50074与《石油天然气工程设计防火规范》GB 50183及《铁路内燃机车机务设备设计规范》TB 10021对烟雾灭火系统的设置条件都进行了规定。本规程的内容与上述标准相衔接，对规范与引导烟雾灭火系统的设计、施工、验收、维护管理必将起到积极作用。

1.0.2 目前，缺水少电的油田以及油库规模较小场所的甲、乙、丙类液体储罐设置烟雾灭火系统的较多。2001年，《原油和天然气工程设计防火规范》编制组曾先后对长庆、塔里木、大庆、胜利、辽河等油田的烟雾灭火系统使用情况进行过专项调研，长庆油田是调研的重点。长庆油田是特低渗透油田，地跨陕、甘、宁、蒙四省区，地处沟壑纵横、梁峁交错的黄土高原和干旱的荒漠化农牧区；单井产量低、数量多、分布广，所属区域多为山地、坡地，地形破碎，站址选择比较困难；站场规模较小，布置分散，距离远，交通闭塞、油区道路大部分为黄土路，雨天无法通行；供电质量差，可靠性低；干旱时地表水干枯，暴雨时泥洪滚滚，破坏力极大，地表水利用很困难，地下水埋藏很深，且水量较小，一般井深在500m左右、产水量在$100m^3/d \sim 350m^3/d$，开发成本很高。为了使油田开发建设有效益，必须大力压缩地面建设投资。油田大部分站场生产、生活用水要用水罐车从很远的地方拉运。根据长庆油田设计院估算，长庆油田联合站的油罐区若建一套固定式消防冷却给水系统和固定式泡沫灭火系统，站内投资需360万元左右，站外深井水源和供水管线的投资约130万元左右，合计投资在490万元左右。建一座二级消防站投资在450万元左右。然而多数厂站远离居民区，站内油罐数量少，容积小于1000m^3，且只有事故时才储油。所以，长庆油田在输油管道和原油储运工程建设中，单罐容量100m^3～1000m^3的各类站场，一般不设置泡沫灭火系统和消防冷却水系统，并尽量避免建消防站，而是设置烟雾灭火系统。又如，一些铁路机务段供应内燃机车燃料油的油罐，其容量多在500m^3～2000m^3。以往设置泡沫灭火系统时，必须考虑充足的消防水源、电力供应和消防队员，造成平时大量的人力、物力消耗，加大了工程投资和运营费用。20世纪70年代，天津消防研究所与铁道部共同研制开发了"700m^3柴油罐烟雾自动灭火装置"，经鉴定后，在铁路机务段油库中普遍安装使用。1976～1994年，每年都有3个～5个机务段的油库中使用8台～10台烟雾灭火系统。在一些工矿企业，由于其储罐规模小、数量少，设置烟雾灭火系统可节省大量基建投资、管理维护也很方便。同样，在很多石油公司、工厂企业和军用油料库也都安装了烟雾灭火系统。目前，烟雾灭火系统应用在轻柴油储罐上，最大容量到5000m^3；应用在汽油、航空煤油储罐上，最大容量到1000m^3；应用在乙醇储罐上，最大容量到800m^3；应用在原油上，最大容量到3000m^3。

国家现行标准《石油库设计规范》GB 50074、《石油天然气工程设计防火规范》GB 50183及《铁路内燃机车机务设备设计规范》TB 10021等，都规定了各自采用烟雾灭火系统的场所和储罐规模。本规程适用于按上述标准设置的烟雾灭火系统的设计、施工、验收和维护管理。

1.0.3 本规程是一本专用技术标准，烟雾灭火系统的设计、施工、验收和维护管理除应执行本规程，尚应与国家现行相关标准相协调。

3 系统设计

3.1 一般规定

3.1.1 固定顶储罐内的液体表面是自由液面，罐内式系统就是针对固定顶储罐的这种结构特点研制的。罐外式系统的所有组件与液面的升降没有关系。因此，既可用于固定顶储罐，又可用于内浮顶储罐。

储存温度过高会加速罐内式系统烟雾灭火剂的老化失效；储罐进出料流量大时，罐内液面升降速度也大，液面升降波动过大有可能导致某些储罐的液位计量部件与罐内式系统的漂浮装置缠绕，使漂浮装置卡住。不过，目前对烟雾灭火剂的老化失效与环境温度的关系，以及液面升降波动多大为过大，还没有量化指标，本条只是引导性条文。

内浮顶储罐的浮顶又称浮盘，其结构形式较多。现行国家标准《石油库设计规范》GB 50074 将其分类为钢制单盘、双盘、浅盘、敞口隔舱式、铝或其他易熔材料制成的浮盘。现行国家标准《立式圆筒形钢制焊接油罐设计规范》GB 50341 将内浮顶储罐分类为单盘式、双盘式、敞口隔舱式和浮筒式。无论哪种浮盘都不允许施加外来荷载，并且也不利于罐内式系统的安装与维护。所以内浮顶储罐设置烟雾灭火系统时，应采用罐外式系统。

3.1.2 本条是为了保证烟雾灭火系统能够有效扑灭储罐火灾，只有当系统的喷烟射程大于所保护储罐的半径时，产生的灭火烟雾才能实现对储罐内部的全覆盖。

系统的喷烟时间则应符合现行行业标准《气溶胶灭火系统 第3部分：烟雾灭火装置》GA 499.3 的相关规定。

3.1.3 本条对各种油品、储罐的烟雾灭火剂设计用量的计算方法进行了规定。

条文中公式(3.1.3)是根据多年大量烟雾灭火系统的试验研究总结而得的经验公式。

根据大量试验研究,烟雾灭火系统类别、罐体结构形式及其储存液体的不同,储罐单位面积所需烟雾灭火剂用量也不同。通过在直径0.55m、1.0m、1.5m、2.0m、2.6m、3.0m的小型试验罐上灭火强度和灭火规律的大量试验表明:储罐高液位时的灭火难度比中、低液位时大。条文中表3.1.3-1的数据是根据储罐在高液位条件下的灭火试验数据确定的,从表中看出罐外式系统比罐内式系统灭火密度大,这是由于罐内式系统在液面上方蒸发对流区形成烟雾灭火层较容易,而罐外式系统在储罐上方火焰区形成烟雾灭火层较难。现将历年来烟雾灭火系统主要的应用试验和研究试验归纳如下:

1 烟雾灭火系统应用灭火试验:

在20多年对烟雾灭火系统的研究开发中,应用灭火试验已有100多次,试验数据见表1。

表1 烟雾灭火系统灭火试验一览

试验时间(年)	储罐类别和容积	试验油品	系统类型	灭火剂用量		灭火时间(s)	试验次数
				总量(kg)	单位面积用量(kg/m^2)		
1968~1990	$700m^3$ 固定顶罐	0#柴油	罐内式	33~35	0.46	<20	34
		66#汽油		36		高液位未灭火	2
1973	$1000m^3$ 固定顶罐	大港原油	罐内式	77	0.68	<20	7
1972~1983	$1000m^3$ 固定顶罐	0#号柴油	罐内式	55	0.49	<20	14
		66#汽油	罐内式	77	0.68	5次高液位未灭火	7

续表 1

试验时间（年）	储罐类别和容积	试验油品	系统类型	灭火剂用量		灭火时间（s）	试验次数
				总量（kg）	单位面积用量（kg/m^2）		
1975～1976	$2000m^3$ 固定顶罐	0# 号柴油	罐内式	110	0.55	<20	12
1980	$1000m^3$ 固定顶罐	航空煤油	罐内式	110	0.97	<20	8
1982～1983	$1000m^3$ 固定顶罐	0# 号柴油	罐内式	55	0.49	<15	5
1984～1985	$100m^3$ 固定顶罐	乙醇、200# 溶剂汽油	罐外式	20	1.00	<10	8
1986～1987	$100m^3$ 固定顶罐	85# 车用汽油	罐外式	23	1.17	<10	10
1986～1990	$700m^3$ 内浮顶罐	85# 车用汽油	罐外式	60	0.80	<10	13
1990	$700m^3$ 固定顶罐	85# 车用汽油	罐外式组合系统	75	1.00	<10	5

2 烟雾灭火系统研究试验：

(1)柴油储罐灭火试验：

$1000m^3$ 和 $2000m^3$ 固定顶试验罐，0# 柴油，罐内式系统研究试验数据见表 2。

表 2　1000m³ 和 2000m³ 柴油储罐灭火试验数据

序号	试验日期	储罐容积(m³)	液位高低	罐顶开口(%)	灭火剂量(kg)	点火至喷烟时间(s)	喷烟至灭火时间(s)	灭火后罐内余烟溢出时间(s)
1	1973.7.10	1000	高	15	55	36	13	480
2	1973.7.17		中	22.5	55	115	11	480
3	1973.7.20		低	30	55	65	11	420
4	1973.8.15		中	21.5	55	80	10	360
5	1973.11.5		高	15	55	65	20	390
6	1975.10.31	2000	低	30	110	114	23	450
7	1975.11.1		低	30	110	120	22	450
8	1975.11.8		低	30	110	139	29	390
9	1976.6.4		高	15	110	50	9	420
10	1976.6.11		高	15	110	106	14	390
11	1976.6.19		高	15	110	105	8	360

(2)原油储罐灭火试验：

1000m³ 固定顶试验罐，大港原油，罐内式系统研究试验数据见表 3。

表 3　1000m³ 原油储罐灭火试验数据

序号	试验日期	储罐容积(m³)	液位高低	罐顶开口(%)	灭火剂量(kg)	点火至喷烟时间(s)	喷烟至灭火时间(s)	灭火后罐内余烟时间(s)
1	1973.8.29	1000	低	30	77	97	13	420
2	1973.9.1		中	22.5	77	74	15	510
3	1973.9.7		高	15	77	58	17	660
4	1973.9.18		高	15	77	108	18	570
5	1973.9.26		高	15	77	55	6	330
6	1973.11.4		高	15	77	82	10	270

(3)乙醇储罐灭火试验：

100m^3 固定顶试验罐，罐顶开设6个对称开口，罐内设有一直径5m随水位升降的燃料浮盘，用ZWW5型烟雾灭火系统充装20kg烟雾灭火剂，储罐单位面积烟雾灭火剂用量为1.02(kg/m^2)。灭火试验数据见表4。

表4　100m^3 乙醇试验罐灭火试验数据

序号	燃料数量(L)	液位高低	罐顶开口(%)	灭火剂量(kg)	点火至喷烟时间(s)	喷烟至灭火时间(s)
1	400	高	20	20	15	4
2	400	高	20	20	27	2
3	400	低	30	20	15	3.2
4	400	低	22.5	20	17.5	3.5
5	400	高	22.5	20	22.5	3.5

(4)汽油储罐灭火试验：

在700m^3 试验罐顶开设4个排气口和1个中心孔，模拟内浮顶罐的排气口(开口面积为0.88m^2，符合我国内浮顶罐通气口的面积不应小于0.06D的规定)。在假设的内浮顶汽油储罐爆炸起火后，内浮顶未受到破坏、内浮顶遭到部分破坏、内浮顶绝大部分遭到破坏、内浮顶全部破坏而下沉的4种条件下进行灭火试验。其中，内浮顶全部破坏条件下灭火剂试验是采用ZWW10型(充装灭火剂量为55kg)和ZWW5型(充装灭火剂量为20kg)两套灭火装置组成的组合系统进行试验。表5是内浮顶遭到部分破坏和全部被破坏的试验数据。

表5　700m^3 汽油储罐灭火试验数据

序号	试验日期 月.日	储罐液位	通气口和爆开口面积(m^2)	灭火剂量(kg)	点火至喷烟时间(s)	喷烟至灭火时间(s)	点火至灭火时间(s)
1	9.28	高	0.88	60	6	5.2	12
2	10.7	高	0.88	60	9	10.5	20

续表 5

序号	试验日期 月.日	储罐液位	通气口和爆开口面积 (m^2)	灭火剂量 (kg)	点火至喷烟时间 (s)	喷烟至灭火时间 (s)	点火至灭火时间 (s)
3	10.17	高	0.88	60	9	3	12
4	10.21	中	0.88	60	10	5	15.5
5	6.13	高	5.14	79.6	15	3	18
6	6.19	高	4.84	75	10	4	14
7	6.23	高	4.92	75	13	3	16
8	6.27	高	4.92	75	12	3	15

从表 5 中试验数据可见:点火至喷烟时间不大于 30s;喷烟至灭火时间不大于 15s。灭火装置启动较快,能有效地扑灭储罐初期火灾。从采用两套灭火装置进行的灭火试验来看,两套装置的启动时间相差 2s～3s。

试验结果表明,组合系统能提高扑灭火灾的可靠性,为设计较大储罐消防设施提供了依据。全液面爆炸起火条件下的灭火试验,为拱顶汽油罐的消防设计也提供了数据。

在相同条件下,储罐直径越大,火焰高度越高,单位辐射热也越大,单位面积烟雾灭火剂用量也就越多。表 3.1.3-2 规定的安全补偿系数是根据灭火试验的推算并适当放大后得出的。例如,直径 16m(容量 $2000m^3$)与直径 12m(容量 $1000m^3$)的柴油固定顶储罐,其罐内式系统的储罐单位面积烟雾灭火剂试验用量分别为 $0.55kg/m^2$ 和 $0.53kg/m^2$,两者的比值为 1.04,为此直径 16m 的储罐比直径 12m 的储罐增加安全系数 0.10。

3.1.4 本条的规定是为了保证系统灭火的可靠性和安全性。系统设计时应先计算确定被保护储罐的烟雾灭火剂设计用量,然后可按表 6 选择系统型号或根据厂家提供的产品进行选型。表 6 中系统型号 ZW 代表罐内式烟雾灭火系统,ZWW 代表罐外式烟雾灭火系统，字母后的特征参数表示该型烟雾灭火系统所能够保护储罐的最大直径，例如，ZWW5 型表示在直径小于或等于 5m 的储罐上使用的罐外式烟雾灭火系统。

表 6　烟雾灭火系统基本性能参数

系统型号	额定充装量 (kg)	系统喷烟射程 (m)	系统喷烟时间 (s)
ZW12	60	7	<35
ZW16	110	9	<35
ZWW5	20	4	<15
ZWW10	60	7	<25
ZWW12	100	9	<30

同时，规定了烟雾产生器的药剂充装量不得小于额定充装量，也不得超过额定充装量过多，这是因为系统的喷烟时间和喷烟射程以及装置的安全可靠程度都与烟雾产生器的药剂充装量有密切的关系。

因此，在进行烟雾灭火系统的设计选型时，应综合考虑本规程第 3.1.3 条和厂家提供的不同型号的产品参数。例如，直径 10m 的 0# 柴油（丙类液体）固定顶储罐设置罐外式灭火系统，根据本规程第 3.1.3 条的规定，烟雾灭火剂设计用量为：

$$m = A \times r(1 + k) = 78.5 \times 0.7 \times (1 + 0) \approx 55(\text{kg})$$

根据表 6 的数据，应选择 ZWW10 型系统。烟雾灭火剂充装量应为 60kg。

3.1.5　对传火时间的规定是根据系统灭火试验结果做出的。传火时间越短，系统动作越快，越利于灭火。

3.2　罐外式系统设计

3.2.1　对于甲、乙、丙类液体固定顶、内浮顶储罐，采用独立系统，其设计、安装、检查、维护简便。受烟雾灭火剂充装量和喷烟射程的限制，独立系统可能不满足直径稍大储罐的需要，在这种情况下，允许采用组合系统。不过，按国家现行标准《石油库设计规范》GB 50074、《石油天然气工程设计防火规范》GB 50183、《铁路内燃机车机务设备设计规范》TB 10021 规定的烟雾灭火系统设置条件，采用独立系统的喷烟射程满足设计要求是不成问题的，只是烟雾灭火剂充装量可能达不到设计用量。采用组合系统时，当烟雾产生器多于 3 台时，不易保证系统的传火时间和喷烟时间。

1 本款是为了保证一个引燃装置启动后，能使所有烟雾产生器工作，以提高系统启动速度和可靠性。

2 本款是为了保证组合系统各装置大射程喷烟时间的有效重叠和系统的喷烟时间不超过 35s。根据表 2 的试验数据，当烟雾产生器的启动间隔大于 10s 时，可能出现大射程喷烟时间间断和喷烟时间大于 35s 的情况。

3.2.2 烟雾产生器需要设置在平台上，这样可使烟雾灭火系统与所保护的储罐成为一体，可消除热胀冷缩以及罐基沉降的影响。

烟雾产生器避开扶梯、人孔、罐壁焊缝是为了避免烟雾灭火系统影响储罐的使用，同时，也便于系统的维修。

烟雾产生器平台高出储罐基础顶面 0.4m，便于烟雾产生器安装，且便于烟雾产生器的通风和防潮。

3.2.3 本条对导烟管的设置做出了规定。

1 导烟管的公称直径是经试验确定的。改变或局部改变公称直径，会影响系统参数。现有各型号的罐外式烟雾灭火系统，其导烟管的公称直径见表 7。

表 7 导烟管公称直径 (mm)

系统型号	导烟管公称直径
ZWW5	80
ZWW10	100
ZWW12	125

2 导烟管与烟雾产生器间，横向导烟管与竖向导烟管间采用法兰连接，便于系统安装，并便于设置密封膜。设置密封薄膜可阻

止可燃蒸气和其他异物进入导烟管和烟雾产生器，防止烟雾灭火剂受潮等。

3 本款的着眼点，一是尽可能降低对储罐的容量和储罐结构的影响；二是降低储罐爆炸着火时可能出现的储罐局部变形对烟雾灭火系统的影响。

导烟管设置示意见图3。

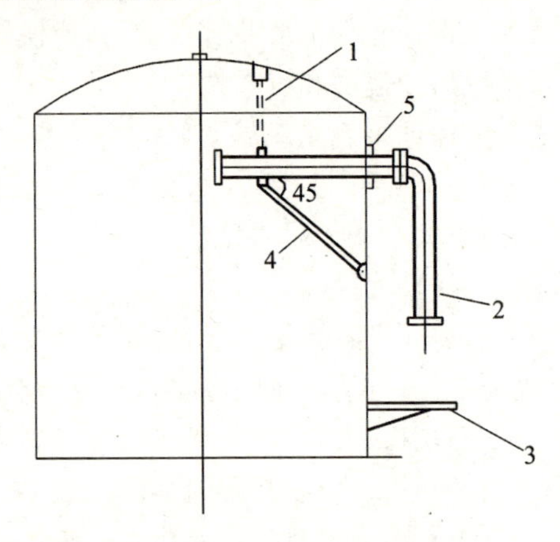

图3 导烟管设置示意图

1—拉杆(内浮顶罐)；2—导烟管；3—平台；4—支撑杆(拱顶罐)；5—加强板

4 本款是为了保证导烟管的稳固性。由于固定顶储罐和内浮顶储罐的内部结构不同，横向导烟管的固定方式也不同。对于固定顶储罐，横向导烟管适宜用支撑杆固定；对于内浮顶储罐，为了不影响浮盘的正常运行，横向导烟管只能设置拉杆固定。竖向导烟管与储罐罐壁的固定支架之间距保持在3.0m是较适宜的，国家标准《泡沫灭火系统设计规范》GB 50151—2010对立管的固定有类似的规定。

3.2.4 本条对喷头的设置做出了规定。

1 喷头铅垂向上设置，不影响储罐储存能力，同时可避免喷头倾斜而影响灭火效果。

2 喷头设置在储罐中央是为了保证储罐内灭火烟雾喷射

均匀。

3 组合系统的喷头设置在储罐中部，从储罐的俯视图上看，各喷头处于储罐中部某一圆周的等分点上，要求设计人员在布置喷头的位置时，必须充分考虑储罐内灭火烟雾均匀覆盖燃烧表面。喷头上下保持0.05m的间距，是为了避免喷头喷射的灭火烟雾相互冲击而影响烟雾的均匀分布。

3.2.5 本条对导火索保护管的设置做出了规定。

1 采用活接头连接便于安装与维护。

2 为便于“Y型”导火索保护管和感温元件的安装和检修，储罐内的导火索保护管是由工厂生产的“Y型”标准件，其后端是一块与DN100法兰连接的盲板。安装时，在罐壁上焊一些DN100法兰的短套管，然后将“Y型”导火索保护管插入储罐内，并用螺栓将盲板与法兰紧固。这样，导火索保护管套管中心的高度就是感温元件的安装高度。感温元件的位置越高，越利于系统启动，但储罐爆炸起火时也容易遭到破坏，并且感温元件的位置过高会影响罐壁上沿的环形角钢加强圈。综合考虑几方面因素，规定了导火索保护管套管的中心距储罐上沿的距离不应小于0.2m(图4)。

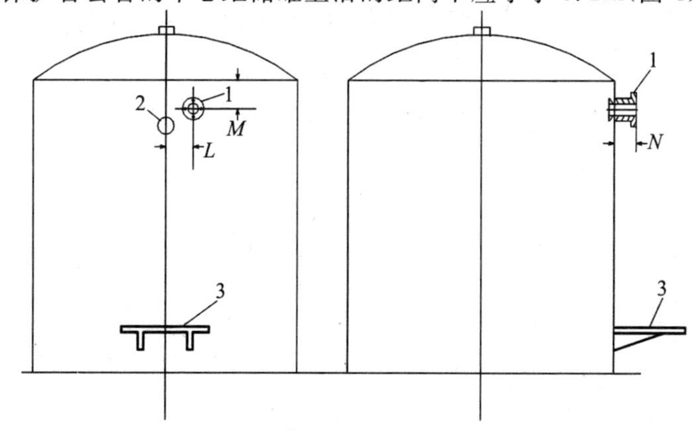

图4 法兰短套管设计尺寸

1—法兰套管；2—导烟管；3—平台

另外，为了便于安装操作，根据以往的各罐外式系统的安装经验，短套管的法兰面距储罐壁的距离不宜小于 0.1m。

3 导火索保护立管固定支架间距的规定与本规程第 3.2.3 条中对导烟管固定支架间距的规定是一致的，两者可共用固定支架。

3.3 罐内式系统设计

3.3.1 罐内式系统的整套装置都安装在储罐内随液面升降的漂浮装置上。漂浮装置由浮漂、三翼定位支腿和脚轮组成。本规定旨在保证烟雾产生器处于储罐的中部、漂浮装置与储罐内壁不发生刚性碰撞和卡住。

3.3.2 罐内式系统装置高度约为 1.1m 引燃装置位于最高点。本条规定最高液面距离罐顶应大于 1.5m，是为使引燃装置上方有一定的空间，保证系统启动灵敏且不与罐顶发生碰撞。

设置平台和托环的目的是为防止漂浮装置与油罐内加热管碰撞（图 5）。

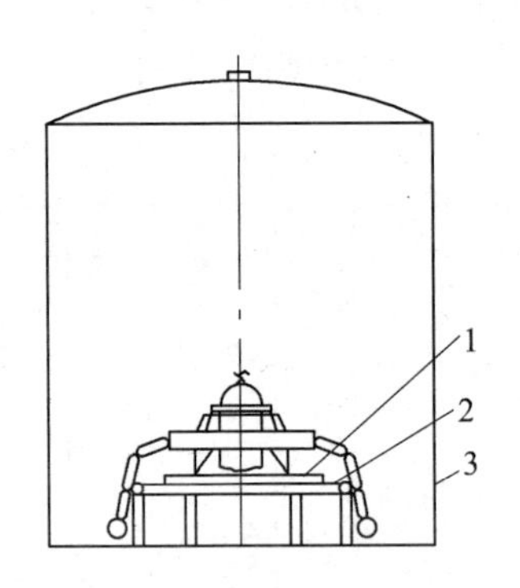

图 5 平台、托环示意图

1—平台；2—托盘；3—储罐

3.3.3 安装罐内式系统时，各组件通常经储罐人孔进入罐内，再行组装。系统最大的组件是烟雾产生器，烟雾产生器的法兰直径随型号不同而异(表 8)。本规定是为了能使烟雾产生器通过人孔安装到储罐内。

表 8　烟雾产生器法兰直径 (m)

系统型号	烟雾产生器法兰直径
ZW12	0.59
ZW16	0.708

4 系统组件

4.1 一般规定

4.1.1 为保证产品及组件的质量，避免因产品质量不过关而影响系统性能，烟雾灭火系统中所采用的产品和组件，必须符合相关市场准入制度的要求。

4.1.3 烟雾灭火系统的类型、型号、规格不同，其组件的尺寸也不同。在实际应用中，有误选的实例。所以，本条对此予以强调。

4.2 烟雾产生器

4.2.1 烟雾产生器属于瞬时压力容器装置，平常为常压密封状态。烟雾产生器壳体由筒体和头盖组成，并采用法兰连接。壳体所选用的钢板材料和厚度均经过强度核算。由于中碳钢硬度较高，且材料较脆，不利于焊接加工，因此在本次规程修订过程中推荐利用低碳素钢板或压力容器用低合金钢板制作烟雾产生器的壳体。

经大量冷喷试验测得，罐内式系统壳体的最高工作压力为0.51MPa～0.62MPa，罐外式系统壳体的最高工作压力为1.4MPa。目前，罐内式系统壳体的设计压力取1.0MPa，罐外系统壳体的设计压力取1.6MPa。壳体水压试验压力为设计压力的1.5倍。

在烟雾产生器筒体内壁涂刷防锈油漆的目的是为了避免筒体内壁发生锈蚀。

4.2.2 本条规定了烟雾灭火剂的燃烧速度灭火剂的燃烧性能是保证有效灭火的关键所在。烟雾灭火剂是由氧化剂、可燃物和发烟物组成的灰色粉末状混合物，点燃后放出大量的灭火气体、水蒸气，并携带出大量的固体小颗粒，形成一种气溶胶物质用于灭火。根据试验，罐外式烟雾灭火系统灭火剂的燃速控制在1.2mm/s～1.4mm/s为宜。烟雾灭火剂的研制综合考虑了以下因素：燃烧反应速度、发烟量、失重百分数、药剂储存时的稳定性，以及系统能够满足的安全条件等。

烟雾灭火剂的燃烧速度测定方法如下：

1 所需仪器和设备：

(1)台秤：一台，精度0.2g；

(2)测速器：

黄铜管：内径28mm，长100mm；

黄铜柱锤：锤头直径27.5mm，总重237g；

铁质凹形底座：内径30.5mm，深12mm。

(3)秒表：2块，精度0.25。

2 试验步骤

将黄铜管插入凹形底座上，分三次装入36g(精度0.2g)烟雾灭火剂试样，即先用台秤称10g装入铜管内，然后缓慢地将柱锤插入铜管，以柱锤的重量压实试样；用同样的操作再装10g试样压实；最后称16g试样装入铜管，用柱锤和锤头旋转磨平药面，使药面距离铜管上端面1mm左右。将铜管向上倾斜30°角放置在通风橱桌上，点燃烟雾灭火剂，并同时启动秒表计时，测定至燃穿烟雾灭火剂底药面的时间。按下式计算燃速：

$$v = l/s \tag{1}$$

式中：v——燃速(mm/s)；

l——试样高度(mm)；

s——燃烧反应时间(s)。

4.3 引燃装置

4.3.1 目前，烟雾灭火系统的感温元件为易熔合金。感温元件的动作温度过高，烟雾灭火系统启动时间长；动作温度太低，其易熔合金元件容易脱落。故参照现行国家标准《自动喷水灭火系统设计规范》GB 50084 做了本规定。为了保证储罐发生火灾时引燃装置能准确启动，感温元件动作温度需要有一定的精度。本条的规定旨在规范感温元件的性能，保证引燃装置可靠、有效地启动。

4.3.2 本条规定了导火索的燃烧速度范围。导火索的燃烧速度过慢或过快都会影响系统的灭火性能，尤其对罐外式系统的影响更为明显。导火索的燃烧速度大于 1.0m/s 是经过试验验证的。

组合系统的导火索燃烧速度以大于 1.5m/s 为好，这样可以保证各装置的最大启动时间间隔不大于规定的 10s。

4.3.3 为了引燃烟雾灭火剂，并使产生的灭火烟雾导出，需在烟雾产生器内设置筛孔导流筒。在筛孔导流筒外表面贴上新闻纸后，再缠绕剥去外皮的导火索药芯，然后在筛孔导流筒外分次填充烟雾灭火剂。

筛孔导流筒上药芯缠绕间距对系统的喷烟强度、喷烟时间以及药剂初始燃烧面的大小都有一定影响，本条规定的参数是根据试验确定的。

4.3.4 热镀锌钢管防腐性能较好。罐外式系统的导火索保护管与罐内式系统的导火索保护管区别较大，罐内式系统的导火索保护管由 Y 型管直接连接烟雾产生器，而罐外式系统导火索保护管包括 Y 型管、弯管、长管，管段之间用活接头连接。

4.4 喷射装置

4.4.1 喷射装置由伞型导流板、喷孔圈、喉管、法兰、封底组成。罐外式系统与罐内式系统的喷射装置有所不同，罐外式系统的喷射装置为独立喷头，罐内式系统的喷射装置与烟雾产生器连为一体。

采用冷轧钢板，便于选材和加工，且安全性能较好。

试验表明，罐内式系统烟雾产生器的最高工作压力为 0.51MPa～0.62MPa，罐外式系统喷头处的最高工作压力小于

1.0MPa。所以，本条规定喷头的设计压力不应小于1.0MPa。

4.4.2 本条是针对罐外式系统而言的，无缝钢管的机械性能较好、摩擦阻力较小。对导烟管及其连接法兰的公称压力要求是根据系统的工作压力确定的。

4.5 漂浮装置

4.5.1 漂浮装置的作用是承载烟雾产生器，使之漂浮在储罐液面中部，并能随液面上下平稳漂动。根据多年的试验经验，这种组成是较为合理的。

1 浮漂由三个扇形浮箱和三个长方形浮箱组成。浮箱用冷轧钢板制作比较方便，且较为可靠。浮箱上设有呼吸阀，浮箱间采用螺栓固定，形成了一个环状整体。

规定浮漂顶面距储罐液面宜为0.2m，主要是保证喷孔与液面的距离。根据试验，喷孔与液面的距离太近，灭火烟雾对液面产生较大冲击，影响灭火；如距离太远，会影响装置的稳定性。

2 三翼定位支腿的作用是为了保证系统组件在随液面升降的过程中，能始终保持在液面中部。三翼定位支腿每个支腿均由多个浮筒组成。

浮筒间采用铰链，便于制作、安装，且有利于系统的稳定。铰链中间设置铜套可避免因摩擦产生静电或火花。

3 脚轮的主要作用是保证三翼定位支腿碰到罐壁焊缝时能顺利地随液面升降。本条规定脚轮的材质选用铜或铝，是为了避免脚轮与罐壁摩擦产生火花。

4.5.2 本条是为了保证漂浮装置的可靠性。

4.6 附　　件

4.6.1 罐外式系统附件的主要作用是保护、固定烟雾产生器、导烟管和导火索保护管、喷头。保护箱主要用于保护烟雾产生器，一方面防止自然环境的影响，另一方面当系统启动时，避免过热的烟雾产生器对油罐产生影响；平台、托板、高度调节装置主要用于固定、调节烟雾产生器的位置；支架用于固定竖向导烟管，一般设置两个。对于拱顶罐而言，常采用支撑固定横向导烟管。

本条主要强调了附件强度和防腐的问题。虽然它们是辅助部件，但是满足相应的强度要求和具有较强的耐腐蚀能力是非常重要的，这是保证系统有效、正常地工作不可缺少的条件。

4.6.2 为了保证整个烟雾灭火系统处于密封状态，喷孔处、导烟管、导火索保护管连接处应用耐油、耐水的聚酯薄膜和环氧树脂粘结剂密封。聚酯薄膜的技术要求见表9。当系统启动喷射灭火烟雾时，聚酯薄膜在灭火烟雾的压力和温度作用下很快打开，使灭火烟雾迅速充满整个储罐内。

表9 密封薄膜的技术要求

项 目	技术要求
厚度	0.04mm～0.05mm
熔点	不低于253℃
密度	$1.35g/cm^3$～$1.40g/cm^3$
延伸率	50％～130％
耐折性	不小于15000次

5 系统施工

5.1 一般规定

5.1.1 本条规定了烟雾灭火系统是建筑工程消防设施中的一个分部工程，并划分了子分部工程和分项工程，这样为施工过程检查和验收提供了方便。

5.1.2 本条对施工队伍的考核和资质等做了规定。

近年来，全国各省专营或兼营消防工程的施工队伍很多，某些施工队伍本身的素质和管理等较差，施工过程中存在不少质量问题。公安消防监督机关和使用单位对此已予以重视，有的地区已制定了相应的管理办法。因此，有必要对施工队伍的资质做统一的规定。

从事烟雾灭火系统工程安装的技术人员、上岗技术工人必须经过培训，掌握系统的结构、工作原理、关键组件的性能和结构特点、施工程序以及安装中应注意的问题等专业知识，确保系统的安装、调试质量，保证系统正常、可靠地运行。

5.1.3 烟雾灭火系统施工单位应建立必要的质量责任制度，本条对系统施工的质量管理体系提出了较全面的要求，系统的质量控制应为全过程控制。

系统施工单位应有健全的质量管理体系，这里不仅包括材料和系统组件的控制、工艺流程控制、施工操作控制，每道工序质量检查、各道工序间的交接检验以及专业工种之间等中间交接环节的质量管理和控制要求，还应包括满足施工图设计和功能要求的抽样检验制度。

5.1.4 经批准的施工图和技术文件已经过政府职能部门和监督部门的审查批准，它是施工的基本技术依据，要坚持按图施工的原则，不得随意更改。如确需改动，要由原设计单位修改，并出具变更文件。另外，施工需要按照相关技术标准的规定进行，这样才能保证系统的施工质量。

5.1.5 本条规定了系统施工前需要具备的技术资料。

要保证烟雾灭火系统的施工质量，使系统能正确安装、可靠运行，正确的设计、合理的施工、合格的产品是必要的条件。

设计施工图、设计说明书是正确设计的体现，是施工单位的施工依据，它规定了灭火系统的基本设计参数、设计依据和材料组件以及对施工的要求和施工中应注意的事项等，因此，它是必备的首要条件。

主要组件的安装使用说明书是制造厂根据其产品的特点、型号、技术性能参数编制的供设计、安装和维护人员使用的技术说明，主要包括产品的结构、技术参数、安装要求、维护方法与要求。因此，这些资料不仅可以帮助设计单位正确选型，也便于监理单位监督检查，而且是施工单位把握设备特点、正确安装所必需的。

准入制度要求的有效证明文件和产品出厂合格证是保证系统所采用的组件和材料质量符合要求的可靠技术证明文件。对于实行 3C 认证的产品，需要提供 3C 认证证明，对于未实行 3C 认证的，需要提供制造厂家出具的检验报告与合格证。

5.1.6 本条对烟雾灭火系统的施工所具备的基本条件做了规定，以保证系统的施工质量和进度。

设计单位向施工单位进行技术交底，使施工单位更深刻地了解设计意图，尤其是关键部位，施工难度比较大的部位，隐蔽工程以及施工程序、技术要求、做法、检查标准等都要向施工单位交代清楚，这样才能保证施工质量。

施工前对系统组件、管材及管件的规格、型号、数量进行查验，看其是否符合设计要求，这样才能满足施工及施工进度的要求。

场地、道路、水、电也是施工的前提保证，它直接影响施工进度。因此，施工队伍进场前要满足施工要求。

5.2 进 场 检 验

5.2.1 在烟雾灭火系统上应用的这些组件，在从制造厂运输到施工现场过程中，要经过装车、运输、卸车和搬运、储存等环节，有的露天存放，受环境的影响，在这期间，就有可能会因意外原因对这些组件造成损伤或锈蚀。为了保证施工质量，应对这些组件进行外观检查，并应符合本条各款的要求。

5.2.2～5.2.5 条文规定了组件在安装前应进行现场检查的具体事项和要求。

5.3 系 统 安 装

5.3.1 本条强调在施工过程中要做好检查记录，系统验收时，作为质量控制核查资料之一提供给验收单位审查，也是存档资料之一，为日后查对提供方便。

5.3.2 本条规定了烟雾灭火系统施工过程中质量控制的主要方面。

一是用于系统的组件和材料的进场检验和重要材料的复验；二是控制每道工序的质量，按照施工标准进行控制；三是施工单位每道工序完成后除了自检、专职质量检查员检查外，强调了工序交接检查，上道工序要满足下道工序的施工条件和要求；同样，相关专业工序之间也要进行中间交接检验，使各工序间和各相关专业工程之间形成一个有机的整体；四是施工单位和监理单位对施工过程质量进行检查；五是施工单位、监理单位、建设单位对隐蔽工程在隐蔽前进行验收。

5.3.3 甲、乙、丙类液体储罐区属易燃易爆场所。系统安装，尤其是动火作业时，要严格遵守相关的管理办法。安装烟雾灭火系统时，若需动火作业，应借鉴油库明火作业的有关管理办法。其他作业也必须满足易燃易爆场所施工安全的要求。

5.3.4 烟雾灭火剂、导火索容易受潮，因此，安装应避开雨、雪天气。安装前,尽可能用干织物擦拭烟雾产生器、导烟管等。

5.3.5 受运输条件影响,目前,烟雾产生器的组装一般在施工现场完成。因生产厂商对其产品的性能比较熟悉,故在安装过程中按产品安装使用说明书进行有利于保障安装质量。

烟雾产生器的组装宜按下列要求和步骤进行:

(1)导火索从包好新闻纸的导流筒杆下300mm(以ZWW10型为例)的任一小孔中穿出,并按照本规程第4.3.3条的规定缠绕导火索(图6)。

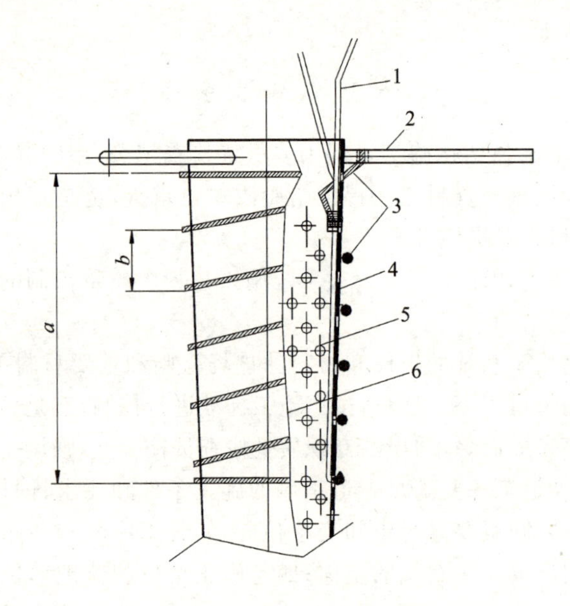

图6 筛孔导流筒导火索缠绕示意图

1—导火索;2—定位杆;3—导火索药芯;4—筒壁;
5—导流筒;6—新闻纸;a—导火索缠绕高度;
b—导火索缠绕间距

(2)将缠绕好导火索的筛孔导流筒放入产生器内,并将上端开口遮严,以防止装药时烟雾灭火剂进入导流筒内。

(3)烟雾灭火剂分多次填装到壳体内,依次捣实、压平,烟雾灭火剂距法兰顶面 20mm～40mm，装药时防止弄断导火索。

（4）填装完药剂后，在密封垫双面涂抹黄油后放在法兰密封面上，将导流筒上的导火索从头盖的接头孔内穿出，装上头盖，紧固螺栓。

5.3.6 平台、导烟管与导火索保护管的固定支架、导烟管的支撑杆应牢固可靠地焊接在储罐上。

平台、导烟管与导火索保护管的固定支架焊在储罐外壁上；导烟管的支撑杆焊在储罐内壁上。

在储罐上进行焊接作用时，应满足储罐的有关施工工艺要求。

5.3.7 本条的规定是要求平台平面保持水平，施工时用水平仪测量即可。

5.3.8 焊接作业时，应采取一定的保护措施，避免影响到储罐底部的加热盘管。

5.3.9 本条对连接法兰的连接做出规定。法兰的连接应保证安装质量，保证导烟管组装完毕后能够承受灭火烟雾的冲击荷载。偏差过大会影响工程质量，不得用强紧螺栓的方法来消除偏差。

法兰连接面的平行偏差参考国家标准《工业金属管道工程施工规范》GB 50235—2010 的规定，规定法兰平面之间应保持平行，其偏差不得大于法兰外径的 0.15%。对螺栓孔同轴度的要求是为了便于螺栓自由穿入，保证安装质量。

5.3.10 导烟管水平度或垂直度偏差过大对系统受力会产生不利影响，并且影响系统美观。参考国家标准《工业金属管道工程施工规范》GB 50235—2010 的规定，规定导烟管水平度或垂直度偏差不宜大于 0.2%。导烟管的测量基准可利用平台平面。

5.3.11 本条对烟雾产生器的安装位置、安装方法做出了规定。

第 2 款的规定是为了将烟雾产生器调正位置后定位，烟雾产生器的安装位置见图 7 所示。

第 3 款的规定是为了防止在安装过程中烟雾产生器的全部重量施加到竖向导烟管上。

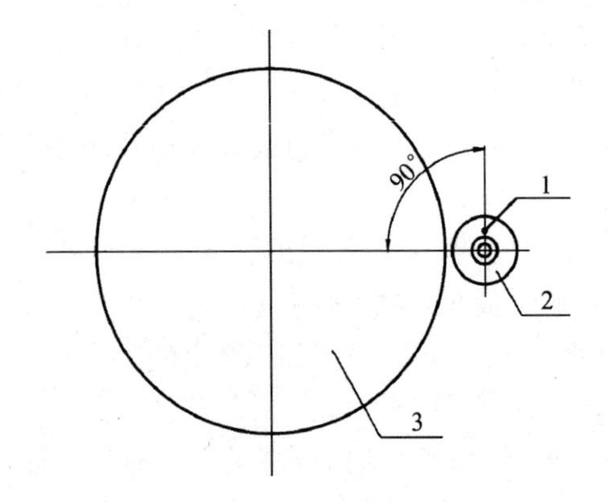

图 7　烟雾产生器安装位置

1—导火索头盖接头；2—烟雾产生器；3—储罐

5.3.12　本条规定两个感温元件水平安装，是为了保证每套引燃装置有两个引燃点，增加了系统的可靠性。

5.3.13　本条规定了 Y 型导火索保护管的基本安装要求。安装步骤可按生产厂提供的安装使用说明书。

5.3.15　本条旨在防止呼吸阀反向安装，避免不必要的失误。呼吸阀内设置有弹簧，因此，需要检查呼吸阀是否可靠。

5.3.16　在实际操作中，三翼定位支腿用手能上下转动各浮筒即可。

5.3.17　为确保系统可靠，安装完毕后需在水中进行漂浮试验，以检查系统是否升降平稳。试验时注入 2m 深的水，罐内式烟雾灭火系统能够漂浮在水面上且能平稳升降为合格。

5.3.18　喷头密封膜对系统密封非常重要，故本条强调了密封膜不得损坏。同时提示，安装后应拆除喷头密封保护层，以保证系统正常运行。

6 验 收

6.0.1 本条规定了验收的组织单位及应到现场参加验收的相关单位，便于全面核查、客观评价。隐蔽工程在隐蔽前，施工单位应通知建设单位、监理单位进行验收。系统中的隐蔽工程主要包括烟雾产生器的组装；导火索及其保护管的装配。

6.0.2 本条规定了验收时所必须提供的全部技术资料，这些资料施工全过程质量控制等各个重要环节的文字记录，同时也是验收时质量控制资料核查的内容，这是验收时需要做的重要工作之一，即软件验收。

6.0.3 本条规定了烟雾灭火系统验收要求，隐蔽工程要在隐蔽前验收合格，所有质量控制资料要合格。另外，本规程还规定了编制表格的基本格式、内容和方式。

6.0.4 因为烟雾灭火系统对储罐有基本的要求，所以验收时应复核安装的系统是否与设计图纸选用的系统一致。

6.0.5 罐外式系统的验收有些部分可检查竣工资料、隐蔽工程验收记录，如第3项的验收主要是查看有关隐蔽工程验收记录即可。有些部分应按规程规定对喷头、导烟管、导火索保护管、固定支架、法兰、烟雾产生器的保护箱、平台等进行认真检查，判断其是否符合本规程的规定。

6.0.6 罐内式系统的验收主要包括烟雾产生器、三翼定位支腿、浮漂、感温元件等的数量、型号、规格、位置与固定安装情况；涂漆和标志；灭火剂的充装量和安装质量的检查非常重要，漂浮试验也不容忽视。验收时，应将现场实际查验与查看竣工资料和隐蔽工程验收记录结合进行。

6.0.7 本条是根据储罐和烟雾灭火系统的特点而规定的。只能根据产品质量、安装质量等进行验收，可不进行冷喷试验。

6.0.8 本条规定了验收合格后需要提供的文件资料，以便建立建设项目档案，向建设行政主管部门或其他有关部门移交。完整的技术资料是公安消防监督机构依法对工程建设项目的设计和施工进行有效监督的基础，也是验收时对系统的质量做出合理评价的依据，同时，也便于用户的操作、维护和管理。

7 维护管理

7.0.1 根据公安部消防局全国消防监督管理工作会议的精神,贯彻“谁主管、谁负责”的原则,应当由使用消防系统设施的单位领导负责制定消防设施的检查、维护制度,并在日常工作中认真执行,确保消防系统设施时刻处于准备投入使用的良好状态。

7.0.2 维护管理是烟雾灭火系统能否正常发挥作用的关键之一。系统检查管理和使用维护的效果,取决于具体操作人员专业知识和基本技能的掌握水平。本条规定借鉴国内、外有关规范的规定和成熟的使用管理经验,要求必须对参加检查管理和使用维护的所有人员进行烟雾灭火系统的全面培训和严格的资格考核,使其具备执行操作的专业素质和基本条件。

7.0.3 本条规定了烟雾灭火系统投入使用时应具备的技术资料,这是保证系统正常使用和检查维护所必需的。检查管理和使用维护人员必须对系统的工作原理、施工安装调试以及验收的情况有全面的了解,掌握系统的性能、构造及检查维护的基本方法和技能,因此,首先应具备必要的技术资料。为了确保系统装置时刻处于投入使用的良好准备状态,必须建立检查管理和使用维护记录。

7.0.4 液体淹没横向导烟管和感温元件,就有可能使喷头喷孔受到堵塞,感温元件无法正常脱落,从而造成系统失灵。

7.0.5 本条的规定是根据罐外式烟雾灭火系统的组件构造、作用原理和使用条件等确定的。罐外式系统的大部分组件设置在储罐外,受自然环境条件的影响较大,导烟管及烟雾产生器、保护箱等组件外观容易出现变色、脱漆、变形等情况。同时,为了避免因为液体淹没横向导烟管或者感温元件而导致系统无法运行,本条也将其纳入检查的内容。

7.0.6 本条的规定是根据罐内式烟雾灭火系统的组件构造、作用原理和使用条件等确定的。本条的规定是确保罐内式烟雾灭火系统正常发挥作用的基本条件，其中任一条件不具备，都会给系统正常发挥作用带来影响，造成系统灭火能力的降低或失效。

7.0.7 采用罐内式烟雾灭火系统的储罐，对需要加热、保温的液体进行输入、输出作业时，由于液体的黏度会使液体与烟雾灭火系统的运动构件发生粘连，造成运动构件因扭曲和失衡而脱离正常运行状态或卡死，不能随液面正常浮动。因此，必须在加热状态下完成液体的输出、输入作业。

7.0.8 系统的检查管理和使用维护记录是一项长期持续的工作，是用来判断系统设施是否时刻处于正常状态的文字依据。同时，也为系统设施的维护管理积累必要的档案资料。对于检查管理和使用维护中发现系统设施的任何异常情况，都必须高度重视，及时处理，做到真正确保系统设施时刻处于准工作状态。

7.0.9 本条的规定是根据烟雾灭火系统的工作原理、组件构造以及易耗件的性质和作用确定的。系统正常运作后，系统组件会发生一定的形态改变，消耗品会有正常损耗，或出现消耗品由于长时间贮存而产生性能降低或失效。为了确保系统正常发挥灭火作用，必须按照本条的规定及时予以重新安装或更换。